令和5年度秋季特別展

神郡
意宇と宗像

SHIN GUN
OU and MUNAKATA

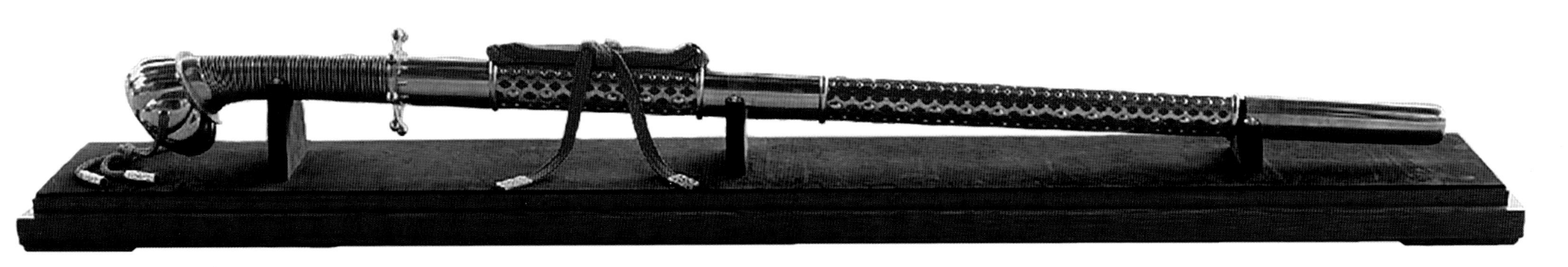

ごあいさつ

およそ350年間つづいた古墳時代の幕が下りたのち、日本は中国唐の律令制度をモデルとしながら天皇を中心とする中央集権国家の完成を急ぎました。そうしたなかにあって、７世紀後半以降に領域全体が特定の神社の所領として定められた「神郡」。なじみがうすく、それでいて厳めしい言葉ではありますが、古代史や神社仏閣ファンの皆さまには、三重県の伊勢をはじめ、茨城県の鹿島、福岡県の宗像、そして島根県の意宇が神郡の代表格であるといえば、関心をもっていただけるかもしれません。

さて、９世紀なかばにまとめられた『令集解』（養老律令の注釈書）には、養老７年（723）11月16日時点で全国に八つの神郡（八神郡）があったと記されており、西暦2023年はその年号から1,300年にあたります。それを記念して開催する本特別展では、八神郡のなかでも畿内より西に設置された意宇と宗像の古墳時代および古代の資料をご紹介します。

ただ、神郡の研究は古代史や神道史を中心にすすめられており、神郡をめぐる考古学からの議論は道なかば。この試みも試行錯誤の域を出ませんが、本展をつうじて神郡を支えた人びとの栄華に想いをはせていただければ、きっと資料一点一点の輝きが増すことでしょう。

末尾となりましたが、本展の開催にあたって貴重な資料をご提供いただきました皆さまに心よりお礼申しあげますとともに、本展が島根と福岡、ひいては山陰と九州をつなぐささやかな親善大使となることを祈念いたします。

令和５年９月16日

島根県立八雲立つ風土記の丘
所長　髙屋茂男

目次

会期　2023年９月16日［土］～11月26日［日］
主催　島根県立八雲立つ風土記の丘
TSKさんいん中央テレビ
後援　松江市　松江市教育委員会

企画・図録編集
齊藤大輔 / 島根県立八雲立つ風土記の丘 学芸員
協力　松本岩雄 / 同 顧問
髙屋茂男 / 同 所長 兼 学芸課長
西村　葵 / 同 学芸員

■キャプションの見方

1．掲載写真のうち展示していないものは［参考資料］と記す。
2．資料の所蔵者と写真提供元を併記し、図版目録に代える。
それぞれの記載がないものは八雲立つ風土記の丘に帰す。
3．総説文中の白抜き数字は、キャプション番号を示す。

総説

神郡の考古学、事始め

齊藤大輔

島根県立八雲立つ風土記の丘
学芸員

神郡とは

皇極4年(645)の乙巳の変に端を発し、中大兄皇子(後の天智天皇）と大海人皇子（後の天武天皇）の兄弟によって推し進められた一連の国政改革、いわゆる「大化改新」をつうじて、大和朝廷は全国を「国」「評（郡）」「里」の行政組織にわけて管理するようになった。時に、孝徳天皇の時代（在位645-654年）である。その背景には中国大陸に成立した唐（618-907）の律令制度の余波をうけているが、こうした中央集権化をすすめるいっぽうで、朝廷は特別に認めた地域だけは「神郡」として直接の管理からはずした。

神郡とは、端的にいえば特定の神社を維持するために定められた郡である。神社の修理や祭祀にあたり、その郡の税収をあてられたため、近隣の地域にたいしてもおおきな影響力を誇っていた。文献上での初出は『日本書紀』持統6年（692）だが、『常陸国風土記』や鎌倉時代の『神宮雑例集』には大化5年（649）に多気郡・度会郡・香島郡がみえ、9世紀にまとめられた『令集解』(養老律令の注釈書)には、養老7年（723）11月時点で全国に八つの神郡、いわゆる「八神郡」があったと記される（八神郡の位置は36頁を参照)。今年2023年は、その年号から1,300年にあたる。

さて、神郡の研究は古代史や神道史の分野が牽引しているが、その設置理由の細部については、軍事や経済、国家によるイデオロギー的な視点など、研究者によって意見がわかれる。近年では、小倉慈司と川畑勝久の研究が（二者にも意見の相違がありつつも)、その到達点を示している［小倉2012、川畑2022］。小倉、川畑の要約を引くならば、①神郡にはそれぞれ対応する有力な神社があって記紀神話にも登場する、②神郡はいずれも畿外にある、③神郡は評制施行の初期に設置された、④神郡の郡司には三等以上親の連任が認められた、⑤神郡には神戸を有していたが、神郡全域におよぶものではない、⑥神郡の設置は「八神郡」の記載はともかくとして7世紀中頃から後半と考えられる、⑦「八神郡」は畿外の交通や軍事の要衝となる場所に設置され、宗教的な部民が多く居住していた——、となるだろうか。

いっぽう、具体的なモノの観察から過去社会を考察する考古学の立場からは、島根県前田遺跡（意宇郡）や福岡県沖ノ島祭祀遺跡（宗像郡）などが古墳時代と古代の祭祀をつなぐ遺跡として注目されるものの、発掘調査で何が出土すれば神郡の存在を裏づけられるのかは、いまだよくわかっていないのが実情である。

もし考古学から神郡に接近できるとすれば、そのヒントは先の要約⑥⑦にありそうだ。じっさい、笹生衛や穂積裕昌らは各神郡の基層基盤を古墳時代に求め、古代の祭式につながる遺物相の推移とその画期を見出している［笹生2012、穂積2012］。土地景観や遺物論を総合する両者は、神郡は7世紀中頃に突如生じたものではなく、古くからの土地の伝統や特質が醸成された先に設定されたとみる。神郡のみならず、ひろく地域史の研究全体にも示唆を与える視点である。

本展では、古墳（5～6世紀)、飛鳥（592-710年)、奈良（710-794年)、平安前期（794年-10世紀頃）の四時代にわたる島根県松江市周辺および福岡県宗像一帯、すなわち近畿よりも西に置かれた二つの神郡に光をあて、その事例研究とする。ただし、本展はあくまでも「神郡の考古学事始め」。まずは物静かな遺物の声にそっと耳を傾けることにより、「神郡の考古学」の可能性をじっくりと展望することにしよう。

意宇（おう）

『出雲国風土記』冒頭の国引き神話において、国土創成の神として登場する八束水臣津野命が国引きを終えたとき、「意恵」といいながら杖をつきたてた場所に草木が生い茂り、それが松江市東出雲町の「意宇の杜」❶になったという。その真実はともかく、松江市南郊には出雲国府を軸としながら新造院や国分寺、国分尼寺が建立されるなど、古代出雲における政治・経済・宗教の中心地として栄えたことはよく知られる。

だが、この土地の栄華は奈良・平安時代に突如もたらされたものではない。古墳時代以来の対外交流や祭祀の拠点としての前史があった。八雲立つ風土記の丘周辺に位置する有力な古墳や古代の官衙跡、寺院の数かずは、そうした「神話」が形づくられる土台にほかならないのだ。首長級の古墳群と古代の官衙が集中するという意味で稀有なこの土地の優位性は、前田遺跡で出土した土器から、すくなくとも５世紀後半には芽生えていた。水陸交通が交差する土地の役得だろう。

松江市八雲町の中心部に位置する前田遺跡では河川の開発にともなう大規模な祭祀がおこなわれ、琴や頭椎大刀に代表される木製品、各種玉類など、日本列島各地の拠点的な祭祀遺跡と共通する遺物が出土している❹。祭祀は５世紀と６世紀後半に全盛をむかえ、周辺に有力な古墳がつくられた時期ともかさなる。前田遺跡ではこのほかに製塩土器や大型砥石なども出土しており、祭祀遺跡である以前に、意宇における物資の生産・集散拠点でもあったようだ。

頭椎大刀は、６世紀後半から７世紀前半の刀剣のなかでとくに格式がたかいものである。伊勢（三重県）や宗像（福岡県）でも、神郡成立前夜の近在する古墳に頭椎大刀が副葬された。意宇においても、出雲国一の宮としての熊野坐神社（現・熊野大社）が鎮座したように、前田遺跡を核とするムラの一体性が意宇神郡成立の遠い基盤となったのだろう。

❸は、出土品と検出された旧河岸をもとに復元された、前田遺跡の祭祀のようす。首長は椅子に座り、後ろに一族が列する。壮年の男子が琴を弾き、巫女が大刀を川に奉じている。こうした多くの人心を掌握する土地の伝統が神郡として認められる基層になったとすれば、前田遺跡のマツリにひびく琴の調べは、さながら意宇神郡胎動の序曲だったのかもしれない。

では、具体的にどのような人びとが古墳時代や古代の意宇をささえていたのか。そのヒントとして、意宇を中心とする山陰の古墳ではさまざまな装飾大刀や馬具が出土している。その筆頭たる岡田山１号墳の額田部臣銘銀象嵌円頭大刀（❺-1）は、のちに日本史上初の女性天皇（推古天皇）となる額田部皇女に仕えた臣の愛刀。一緒に出土した馬鈴（❺-2）は、日本で最初に建立された仏教寺院である奈良県飛鳥寺の塔心礎埋納品とよく似ており、国家的な祭祀につらなる人物が意宇のリーダー格だったことをものがたる。

奈良時代には、中央から派遣された国司が地方を統治する拠点として、各国に「国府」が置かれた。岡田山１号墳の東方、茶臼山の南方にも出雲国府が展開した。出土品は膨大で、瓦や文房具、銙、銅印、皇朝十二銭といった政治色の濃い遺物を網羅する（❾-1～5）。帯の飾りである銙は、四角い「巡方」とかまぼこ型の「丸鞆」にわかれ、材質や色のちがいによって、官人の身分の位をあらわした。皇朝銭はいっぱんに「銅銭」であるなか、出雲国府跡で出土した和同開珎の１枚は、和銅元年（708）５月から翌年８月の短期間につくられた「銀銭」であることが注意を引く。

また、出雲国府跡にかんする近年のおおきな調査成果として、政庁正殿の構造があきらかとなったことや、政庁域（六所神社の東隣）の建物を建てるための整地層から甲冑の部品である小札（❾-6）が出土したことが挙がる。この小札は戦いの道具ではなく、地鎮などの祭祀にともなって埋納されたと考えられている。甲冑を埋納する古代・中世の祭祀は、京都府の長岡京をはじめ、各地の拠点的な官衙などで認められるという［塚本 2022］。この小札がどこでつくられたのかはわからないが、金属生産にかかわる資料はまばらながらも出雲国府跡のさまざまな場所で出土している。鞴羽口（❾-7）は金属を溶かす炉に空気を送る道具、坩堝（❾-8）は溶けた金属の受け皿。それぞれの口には冷え固まった金属がついている。

ただし、いうまでもなく神郡最大の拠りどころたる“光”は宗教的な性格をもつ施設であり、そうした文脈にかぎっていえば国府は“陰”にすぎまい。

出雲の寺院創建は７世紀の後半頃。『出雲国風土記』によれば、教昊寺（安来市）と 10 か所の「新造院」があったという。その創建者は、郡司や地域の有力者らであった。新造院の実態は不明だが、「院」とつくことから、数棟の建物を塀で囲んだ宗教施設であったと考えられている。意宇郡では、山代郷にたたずむ茶臼山の南北に二つの新造院が置かれた。丘陵の中腹に立地する北新造院跡（来美廃寺）では南向きの斜面に平坦面を２段設け、上段の金堂では仏像の台座である須弥壇が確認された。金堂は瓦葺きの礎石建物で、本尊仏と脇侍仏を置いていたようだ。幡を立てた柱跡や灯篭跡のほか、鬼瓦（❼-1）をふくむ瓦類、石製の相輪、青銅製

宗像

の風鐸、塑像仏片、螺髪、多口瓶（7-2）なども出土している。土器の時期は7世紀後半から12世紀頃にわたり、出雲国府の造営期間とかさなる。

出雲国分寺跡は、南門、中門、金堂、講堂、僧房が中軸で一直線にならぶ「東大寺式伽藍」と、瓦敷きの道や金堂をとりまく回廊が検出されている。国分寺跡の精美な瓦や塼（レンガ）、土器、土馬もまた、高潔な寺院のおごそかさを伝える10。

出雲国府跡のなかに官人の墓は検出されていないが、平安時代前期（9世紀後半）以降に中国唐の影響をうけて国産された八稜鏡が、彼らの墓域の指標となるかもしれない。八稜鏡は経塚や墓に埋納されるアイテムで、出雲国府跡の北東から東の地域だけでも3面出土している12 13 14。このうち社日古墳の斜面で出土した鏡は、蔵骨器（骨壺）の蓋として使われていた。国府の鬼門（陰陽道における、鬼が出入りする不吉な方角）を護るバリアだったのだろうか。かの平安時代を代表する歌人・清少納言が『枕草子』に「心ときめきするもの（ドキドキするもの）」として挙げた「唐鏡」とは八稜鏡を指すというほど［久保 2022］、当時の人びとにとって神秘的な存在だったようだ。

国府跡の南、かつて前田遺跡を中心に栄えた八雲町で注目すべきは禅定寺遺跡。銙（丸鞆）や中国唐系の系譜をひく刀の鐔、東海産の緑釉陶器が出土している15。緑釉陶器は、銅と鉛を混ぜた緑色の釉をかけた陶器であり、9世紀から11世紀はじめ頃、中国からの輸入青磁の代替品として各地の官衙や寺院などへ供給された高級食器だ。遺跡は住居なのか墓なのかよくわからないが、平安貴族らしい瀟洒な装いに身を包んで国府をささえた人物の姿が去来する。

福岡県北西部、響灘と玄界灘に臨む宗像一帯（宗像市・福津市周辺）は、福岡市と北九州市の中間に位置する交通の要衝としてこんにち栄えているが、古代にも対東アジア交流の玄関窓口として機能し、国際色ゆたかな先進文物が往来した。飛鳥時代には宗像神社（現・宗像大社）が九州で唯一の神郡に指定され、その影響力は東は遠賀川、南は現在の宮若市、西は新宮町におよぶほか、宗像市街地の北西60kmに浮かぶ孤島・沖ノ島もその領域に入る。東アジアをつなぐ海上交流が盛んであった4世紀後半から9世紀末にかけて、航海の安全と交流の成就を祈る国家的な祭祀がおこなわれた沖ノ島の出土品（奉献品）は国宝に指定されている。

だが、この地域の優位性を沖ノ島だけで語ることは許されない。国史跡津屋崎古墳群の一角を占め、「地下の正倉院」とも称される福津市宮地嶽古墳から出土した金銅装頭椎大刀や馬具、ガラス製品の数かずも、海人集団・安曇族の栄華を伝える国宝として名高い。頭椎大刀16 17は全長2.5m以上に復元される巨大なもので、古墳時代の日本列島はいうにおよばず、古代東アジアでも最大級の一振だ。詳細は21頁に譲るが、人間が一人で振り回せるような代物ではなく、まさに「神の刀」ともいうべき古墳時代金工技術の粋。近現代に描かれた古代の神や王の画でしばしば目にする大刀が頭椎大刀であることは、この種の大刀がもつ格式のたかさのあらわれであろう。宮地嶽古墳の横穴式石室は7世紀のものとしては全国最長（約23m）であることも天皇陵級と評価され、被葬者の威厳を際立たせる。

安曇族は玄界灘一帯を本拠地としつつ、海部を束ねて勢力を誇った神系の氏族。白村江の戦い（663）を指揮した安曇比羅夫は、倭の水軍の指揮官をつとめ、外交や内膳（食事）職としてもたかい地位にあった。

このように、宗像周辺を統べる沖ノ島の奉斎者、そして安曇族は、それぞれ近畿中央のヤマト政権や東アジアにもつうずる情報力を駆使しながら、玄界灘沿岸広域へたいする巨大な権力を誇っていたのだ。

宗像市牟田尻中浦A-03号墳で出土した金銅製の飾履18や馬具19も実用品としての剛性が弱く、祭祀や葬送儀礼用につくられた特注品とみてよい。

飾履は、朝鮮半島由来の装身具。薄い金銅板でできた本体に列点で格子文を表し、捩った針金を介して歩揺と呼ぶウロコ状のかざりをつけている。神や黄泉国に旅立つ死者の靴として拵えられたものであろう。

馬具には轡や杏葉、鞍、鐙など、さまざまなパーツがあるが、鉸具（ベルトのバックル）まで金銅でできたものはめずらしい。沖ノ島出土馬具（国宝）とくらべても遜色ない秀作で、平安時代の法典『延喜式』巻八「龍田風神祭」の祝詞にみえる「御馬に御鞍具へて、品々の幣帛獻り」という一文を想起する。また、延暦23年（804）、伊勢皇大神宮の祭式をまとめた『皇太神宮儀式帳』に記す「荒神宮神財八種」の一つとしても金銅装の鞍が挙げられる。考古、文献を総動員する笹生衛は、馬や馬具を神へ供える儀礼のルーツを6世紀後半の沖ノ島7号遺跡に求める［笹生 2012］。これにたいして、宗像市田野瀬戸4号墳の小札甲と鉄製馬具は、軍事的な集団を統べる重騎兵の装いである20。

こうした人馬の装いの多様性とかさなるように、宗像周辺では、さまざまな材質、大きさの馬鈴が豊富に出土している21。水陸交通が交差する地にひびく鈴の音は、魔除けや獣除けのお守り［田中 2022］にとどまらず、都と地方を往来する人馬の通行証でもあり、古代の駅鈴へとつながった［桃﨑 2019］。

また、こうした地域の一体性は台のついた須恵器をもちいた祭祀にもあらわれる㉒㉓㉔。台付の須恵器は天井のたかい横穴式石室の普及とともに発展したとみられるが、横穴式石室をもつ古墳がかならずしも台付須恵器を副葬するわけではない。古墳や石室の大きさのみならず、副葬する須恵器の大きさや数にもゆるやかな序列があったのだろう。子持䑓は儀器化がいちじるしく、格式のたかい葬送儀礼や供宴、あるいは祭祀にもちいられたとみられる。複数の突帯と透かし孔をもつまがまがしいデザインの土器㉕㉖もこの地域に特徴的なものであり、沖ノ島でも出土している。

ところで玄界灘沿岸の供宴や祭祀、葬送の場に列したのは、当時の日本人だけではない。そこには朝鮮半島からわたってきた人びとが多分に交わっていたことも、この地域の特色だ。7世紀の朝鮮半島は、高句麗、百済、そして新羅の三国にわかれた。このうち現在の韓国慶州市を中心に栄えた新羅の土器㉗は、表面を沈線やスタンプ、円文などでかざる。福岡平野周辺は、日本列島のなかでも新羅土器が集中する地域だ。

つぎに、神仙世界を想わせる資料を紹介しよう。

㉘は、海に棲む大型魚を捕獲するための釣針だが、出土した宗像市大穂町原2号墳は、最も近い海岸からでも直線距離で約7㎞離れている。なぜ、海から離れた山里の古墳に海の道具が副葬されたのか。そのヒントは神湊の浜宮貝塚にある。浜宮貝塚は長さ200m、幅160m、深さ3mで、玄界灘沿岸最大の古墳時代貝塚。この巨大な「ごみ捨て場」では、海産物を加工する集団が活動していたと考えられている。その背景として海から山までを一体の地域とみることもできようが、『古事記』上巻の海幸彦と山幸彦兄弟の物語（29頁）をも彷彿とさせる、じつにおもしろい資料だ。

㉙は、とぼけた顔をした動物の土製品。厄除けに使ったのだろうか。実のところはよくわからないが、険しくも凛々しいイメージのある古墳時代の人びとが「かわいい」とつぶやく顔を想像するのも一興だろう。

奈良・平安時代になると、宗像にも政治色の濃い遺跡がみられるようになる。

宗像市武丸大上げ遺跡は、都と大宰府をむすぶ「西海道」に置かれた駅家の跡。中央集権体制を整える律令期には、国土を畿内とそれ以外の七道にわける行政区画が導入され、それらをむすぶ幹線道路として「駅路」が敷かれた。駅家とは、畿内と地方を連絡する馬が待機する施設を指し、駅路のおよそ16㎞ごとに置かれた。駅家は外国使節の往来にも使うため、屋根に瓦㉚を葺いていたという。

宗像市三郎丸今井城遺跡にも、識者や経済を担う人びとが往来した。㉜-1は文字を刻んだ土器で「由加主□」と読める。「由加」は平安時代の辞書『和名類聚抄』にみえる「大きな甕」の別名。「主」は大甕の持ち主を示すのだろうか。4文字目は「ウかんむり」にみえ、「宗」と読めるならば「宗像」にかかわる人物とみることもできよう。刻書土器は古墳時代や飛鳥時代にもみられるが、律令時代に識字率がたかまると、硯（㉜-2）や墨、筆も普及してゆく。また、和同開珎1枚、萬年通寶2枚、神功開寶8枚をふくむ、計121枚の皇朝銭が出土している（㉜-3）。これは九州で出土した皇朝十二銭のおよそ4割にあたり、当該地域の政治・経済や物流、祭祀を考えるうえで鍵となる資料である。

境界領域としての神郡

以上、思いつくがままに神郡としての意宇と宗像を特徴づける品々をみてきた。だが、冒頭でもふれたように神郡の考古学的研究は産声をあげたばかりで、本展でもたしかな研究方法や結論を示せたわけではない。古代史学や神道史学の研究成果へたいする冒涜と不勉強を恥じ入るほかないが、直線距離で300㎞も離れた意宇と宗像をつなぐヒントがあるとすれば、大宰府（福岡）から伯耆（鳥取西部）へとつながる日本海海岸線の一角を占めることに尽きようか。

この巨大な“ベルト”は、とくに9世紀以降には新羅による侵攻を防ぐための前線として認識されたというが［松尾 2023］、当該地域がもつこの地政学的な特質は、奈良・平安時代に突如として形成、そして解体されるような一過的なものではない。その本質的機能は時代や王権の意図さえも問わずに作用していたはずであり、かつ軍事にとどまるものでもないだろう。

結論をいえば、朝鮮半島をはじめとする東アジア世界との接触地帯、すなわち「境界領域」として、ひろい時空間で評価すべきものである。古代東アジア最大級とみられる大型の大刀や、「額田部臣」というなかば個人を特定しうるほど強力な字句が刻まれた大刀が神郡の基盤となる地にもたらされたことも、巨大な歴史の糸でつながっているように思えてならない。

かつて神郡の民がみた世界。識字や貨幣経済、駅路、軍団、宗教施設などの整備がこうした地域の重要課題だったようだが、皆さんにはどのように映っただろうか。その情景は三者三様であるにしても、まずは本展をつうじて彼らの栄華に想いを馳せていただければ幸いであるし、それこそが、歴史を学び伝えるうえでの「事始め」になると信じている。

意宇

OU

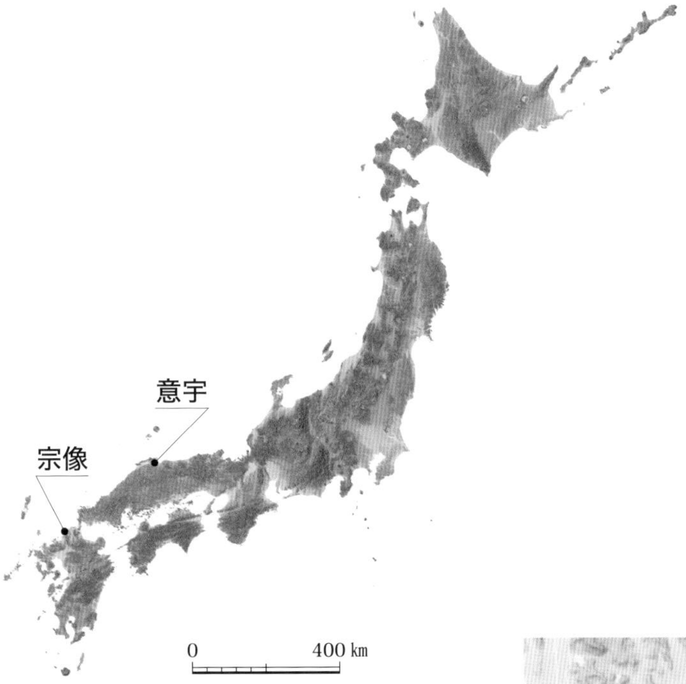

意宇
宗像
0　400 km

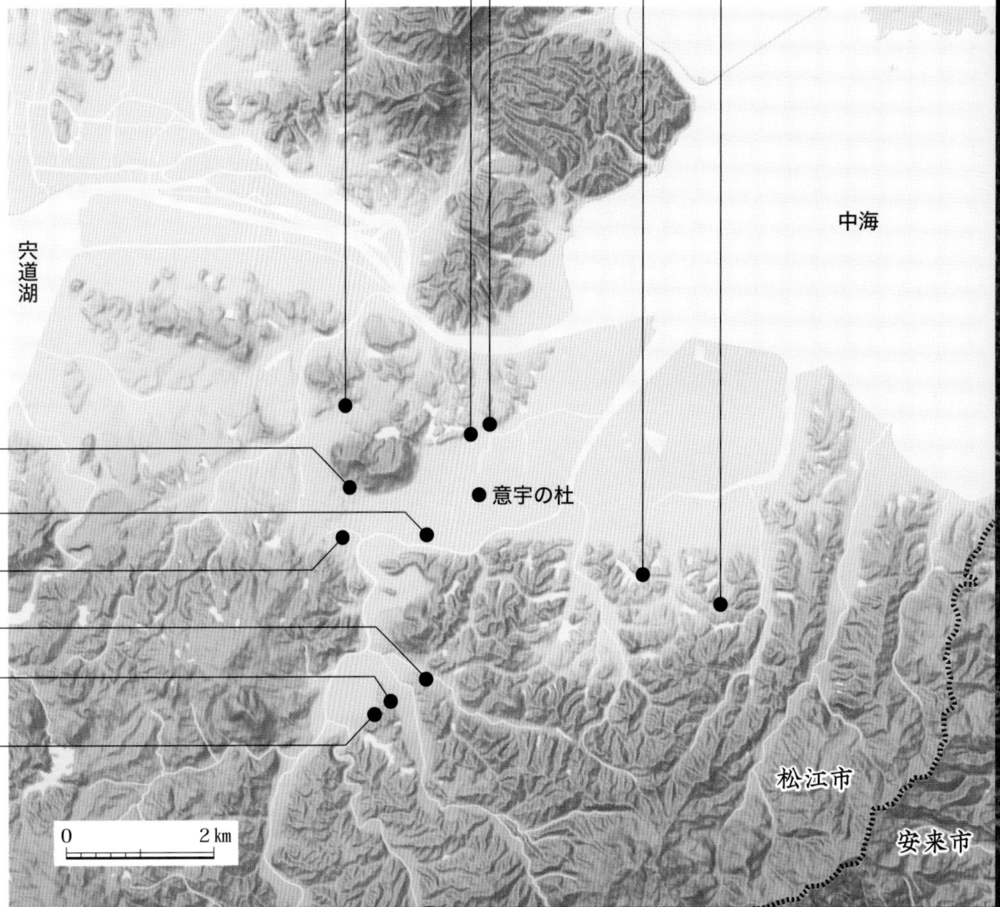

北新造院跡（来美廃寺）
出雲国分寺跡
社日古墳
島田池遺跡
勝負遺跡
中海
宍道湖
南新造院跡（四王寺跡）
意宇の杜
出雲国府跡
岡田山１号墳
増福寺古墳群
前田遺跡
禅定寺遺跡
松江市
安来市
0　2 km

地図は、webサイト「川だけ地形地図」(https://www.gridscapes.net/AllRiversAllLakesTopography/) を利用

❶ 意宇(おう)の杜(もり)

意宇の杜は、茶臼山の東方、国分寺跡や天平古道の南、意宇平野の真ん中の道端にひっそりとたたずむ。

出雲国府から北へ向かってまっすぐのびる道（枉北道(きたにまがれるみち)）の先は、『出雲国風土記』に記された「朝酌渡(あさくみのわたり)」の南岸にあたる。大正時代の地形図にも渡船が記されており、このあたりから大橋川を渡っていたようだ。隠岐や、果ては朝鮮半島にもつながる海上交通路の要衝である。

❷ 空からみた意宇の杜とその周辺（南から）

意宇、はじまりの地

神郡胎動の序曲

推定復元　前田遺跡での神祭りの様子
画　早川和子

3　提供　島根県立古代出雲歴史博物館

4 松江市指定文化財
前田遺跡出土品

島根県松江市
古墳時代（5世紀～6世紀） 所蔵 松江市

川の開発にかかわる儀式がおこなわれた、島根県域最大級の祭祀遺跡。意宇川流域のリーダーがかかわったとみられる。また、その500m北東に位置する増福寺古墳群で出土した子持𤭯（はそう）の本体と、前田遺跡で出土した子𤭯が接合したことにより（4-4）、前田遺跡の祭祀にかかわった集団の墓域もおおむねわかっている。祭祀をおこなう者の墓が発掘調査によってあきらかとなることは、とてもめずらしい。

4-4 子持𤭯

4-1 頭椎大刀

4-2 刀形木製品
長さ52㎝

4-3 朱塗木製品

やつめさす 出雲建が 佩ける太刀

5-1
額田部銘銀象嵌円頭大刀
残存長 52㎝

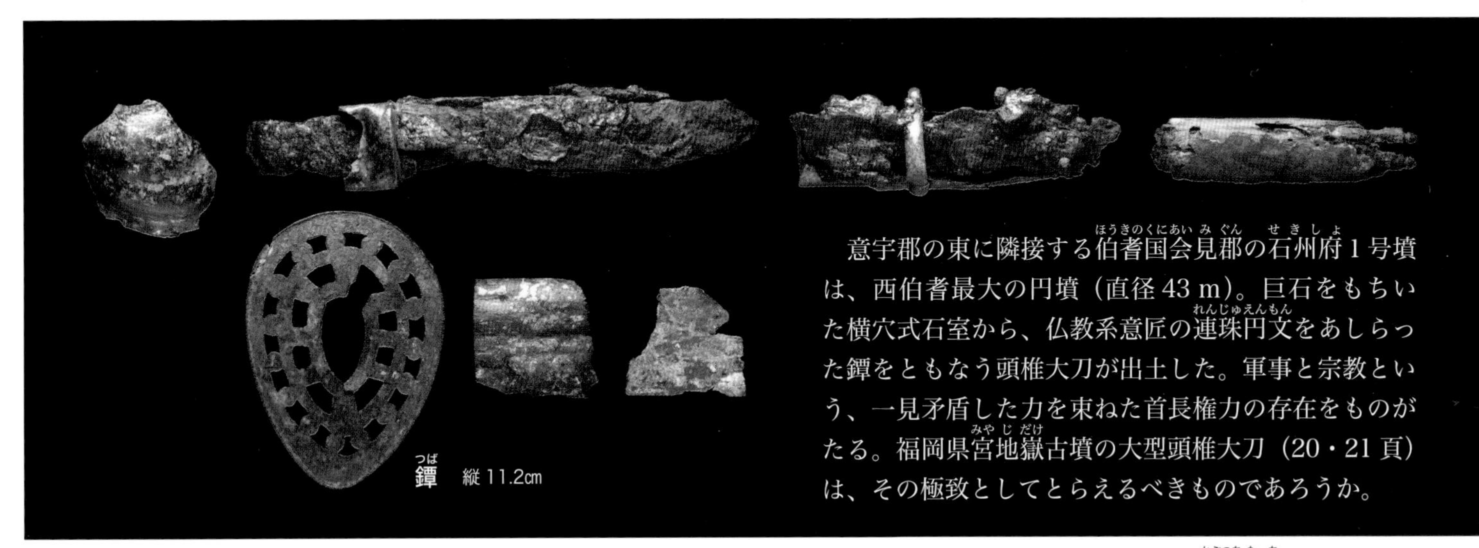

意宇郡の東に隣接する伯耆国会見郡の石州府1号墳は、西伯耆最大の円墳（直径 43 m）。巨石をもちいた横穴式石室から、仏教系意匠の連珠円文をあしらった鐔をともなう頭椎大刀が出土した。軍事と宗教という、一見矛盾した力を束ねた首長権力の存在をものがたる。福岡県宮地嶽古墳の大型頭椎大刀（20・21 頁）は、その極致としてとらえるべきものであろうか。

6　頭椎大刀
石州府1号墳（鳥取県米子市）
古墳時代（6世紀～7世紀）
所蔵　米子市埋蔵文化財センター

5　重要文化財
岡田山1号墳出土品
島根県松江市
古墳時代（6世紀）
所蔵　六所神社
写真　島根県古代文化センター

5-2　馬鈴
幅 3.5㎝

馬鈴の類例
上：岡田山1号墳［島根県教育委員会 1987］
下：飛鳥寺塔心礎［諫早 2015］

7-1 鬼瓦（おにがわら）
高さ 29㎝、幅 32㎝

8 北新造院跡（模型）

7-2 多口瓶（たこうへい） 復元幅 32㎝

院

聖なる天蓋

7 北新造院跡（きたしんぞういんあと）（来美廃寺（くるみはいじ））出土品

島根県松江市
奈良時代
所蔵　島根県教育委員会

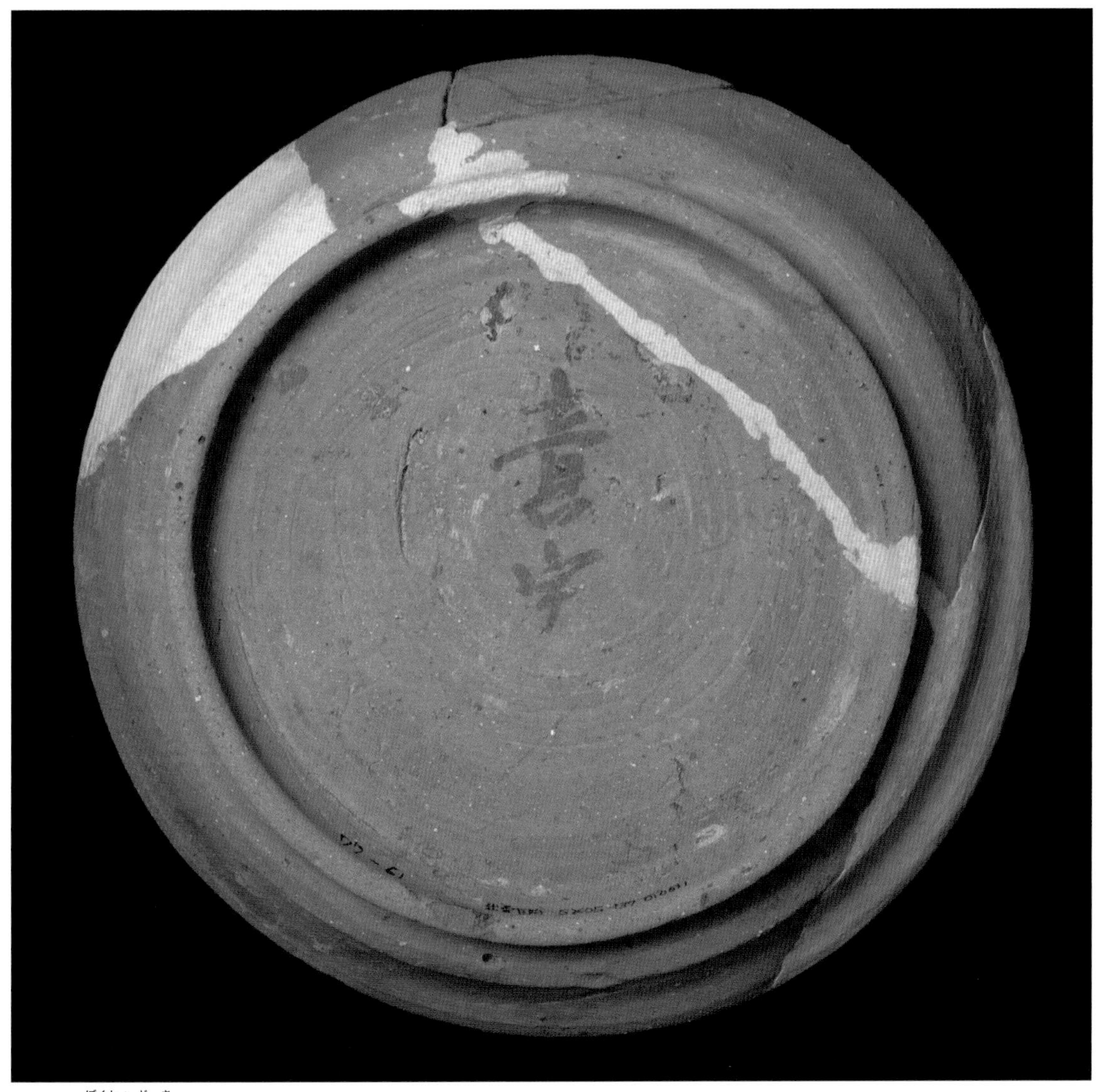

9-1　墨書土器「意宇」
径 18.6㎝

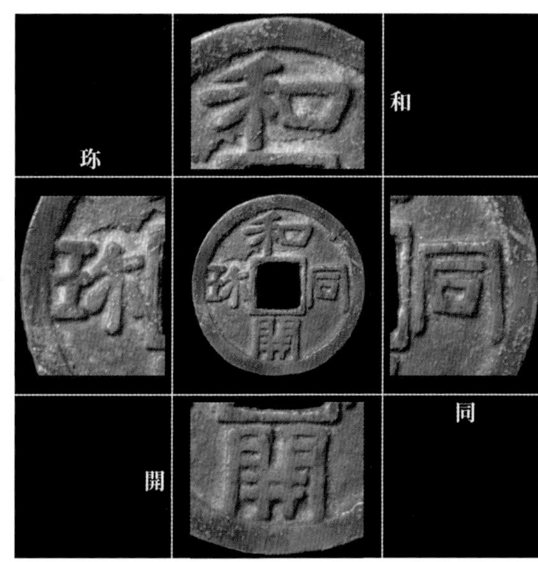

9-2　和同開弥
径 2.4㎝

9-3　石銙（巡方）幅 3.8㎝

9　史跡出雲国府跡出土品

島根県松江市 / 奈良・平安時代
所蔵　島根県埋蔵文化財調査センター（9-1 ～ 3）
　　　個人（9-4・5）

出雲国府跡では、文字にかかわる資料が豊富に出土している。「常」「春」と陽刻された２点の銅印は国司や郡司の印とみられるが、「常」の字をもつ国司は確認されていない。「春」の字をもつ国司には、９世紀中頃の春良宿祢薬麻呂、大春日朝臣高庭、伴宿祢春宗がいる。

9-4　銅印「常」
幅 2㎝

9-5　銅印「春」
幅 3㎝

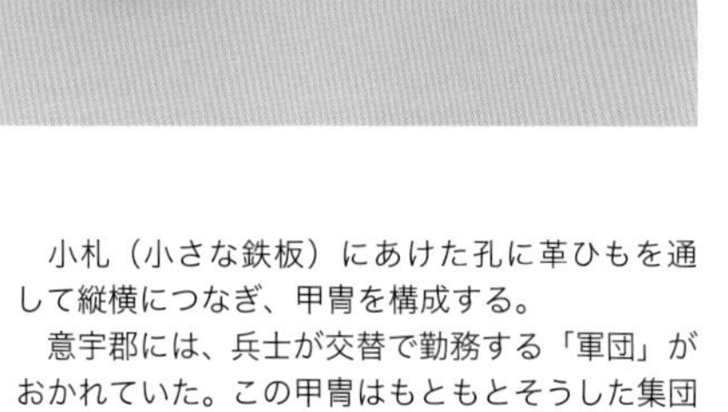

小札（小さな鉄板）にあけた孔に革ひもを通して縦横につなぎ、甲冑を構成する。
意宇郡には、兵士が交替で勤務する「軍団」がおかれていた。この甲冑はもともとそうした集団のリーダーが身にまとっていたものであろうか。

9-6 小札（こざね）

所蔵・写真　島根県埋蔵文化財調査センター
実測図　島根県教育委員会 2023
X線CT画像　島根県埋蔵文化財調査センター（九州歴史資料館撮影）

実測図
Scale = 1/1

X線CT画像

❾-7 鞴羽口（ふいごはぐち）

❾-8 坩堝（るつぼ）
径 13㎝

出雲国府跡では、特定の地区に金属器生産関連資料の出土が偏らず、各地区の需要をまかなうような生産活動がおこなわれていたようだ。
明確な工房はほとんどみつかっていないが、理化学的な分析をつうじて、出雲国府跡における金属器生産のおもな内容は、鉄製品の鍛錬鍛冶、銅製品の鋳造、板金加工だったとみられている。

所蔵・写真　島根県埋蔵文化財調査センター

⑩-1　軒丸瓦

⑩-2　軒平瓦
幅28㎝

東大寺正倉院宝物に代表される天平文化が花開いた奈良時代は、その華やかさと引き換えに飢饉や疫病がはやるなど、社会不安がひろがった時代でもあった。

天平13年（741）、聖武天皇はこれらの不安から仏教の力で国を守るため（鎮護国家思想）、各国に国分僧寺と国分尼寺を置き、国内の僧尼の監督や朝廷の保護にあたらせた。東大寺を総国分寺とする。

⑪　出雲国分寺跡（模型）

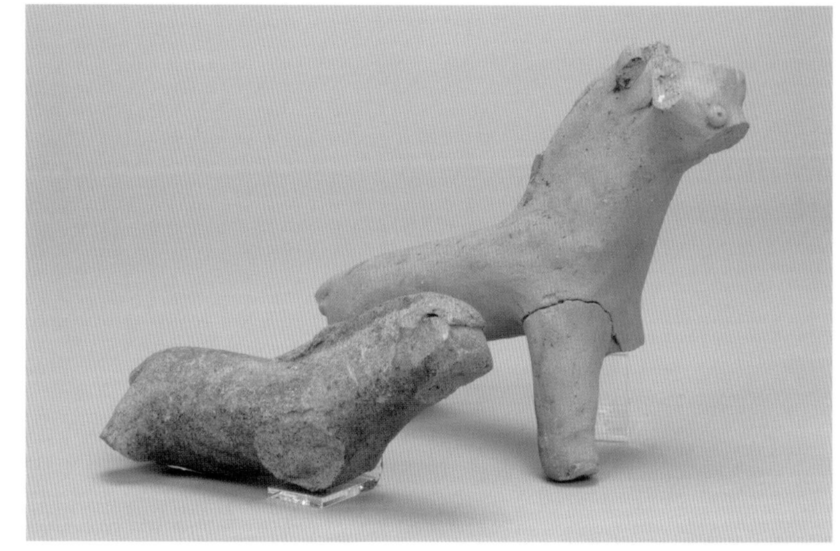

⑩-3　土馬
奥の高さ13㎝

⑩　出雲国分寺跡出土品
島根県松江市
奈良時代
所蔵　松江市

⓬-1　蔵骨器

⓬-2　八稜鏡

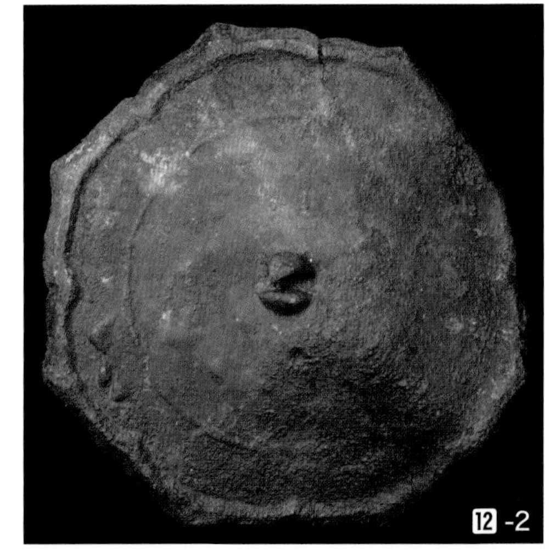

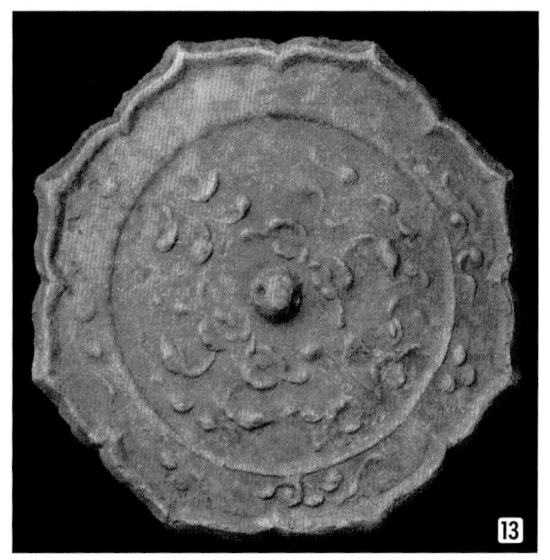

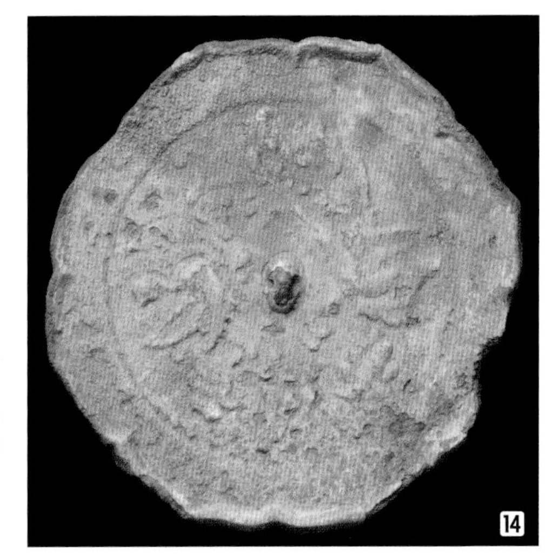

⓬　蔵骨器・八稜鏡
社日古墳南斜面（島根県松江市）/ 平安時代
蔵骨器の高さ 26cm　八稜鏡の幅 7.5cm
所蔵・集合写真　島根県埋蔵文化財調査センター

⓭　八稜鏡
島田池遺跡５区 SK02（島根県松江市）/ 平安時代
幅 7.8cm
所蔵　島根県埋蔵文化財調査センター

⓮　八稜鏡
勝負遺跡木棺墓 SK06（島根県松江市）/ 平安時代
幅 8.5cm
所蔵　島根県埋蔵文化財調査センター

心ときめき するもの

⑮-4 土師器 杯

⑮-1 鐔 縦 5.8㎝　⑮-2 石銙（丸鞆）幅 4.5㎝　⑮-3 緑釉陶器

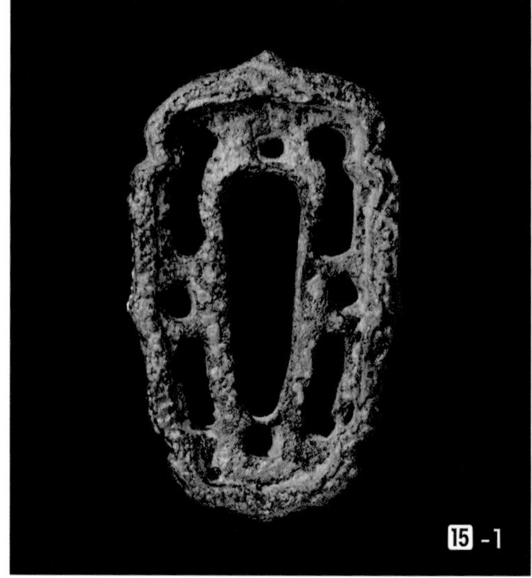

⑮-1

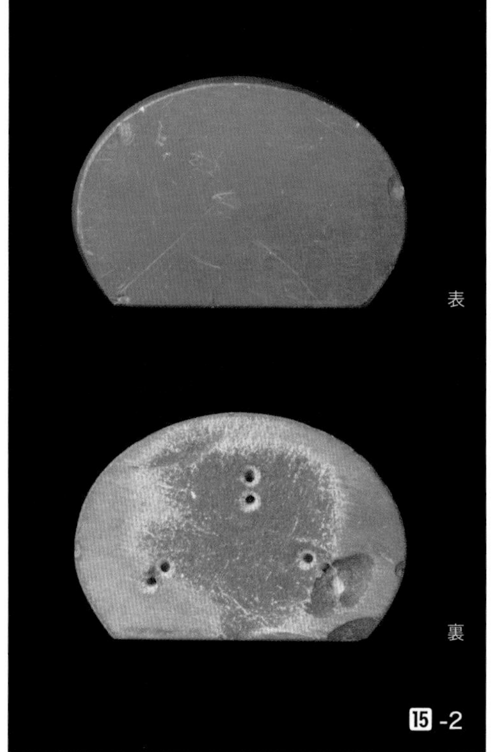

表

裏

⑮-2

唐

⑮ 禅定寺遺跡出土品

島根県松江市
平安時代（9世紀～ 10 世紀）
所蔵　松江市

奈良・平安時代の官人は、服務中は一目で個人の位がわかるように服装のルールが定められていた。そのことをよく示す考古資料が、帯のかざりである銙だ。奈良時代の銙は金属製、平安時代の銙は石製というちがいがある。平安時代には六位以下の者は黒い石をもちいるとも定められており、禅定寺遺跡の主人公の履歴もたちまち判明する。

宗像

MUNAKATA

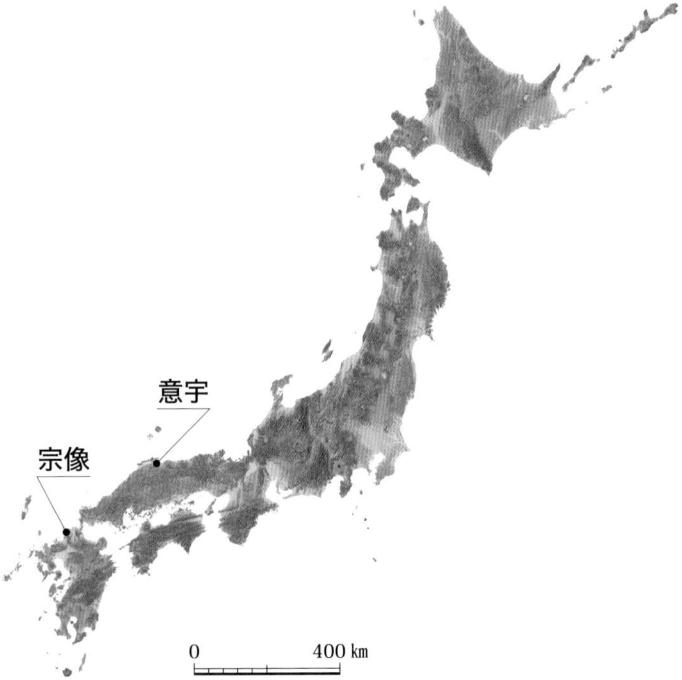

意宇
宗像
0 400 km

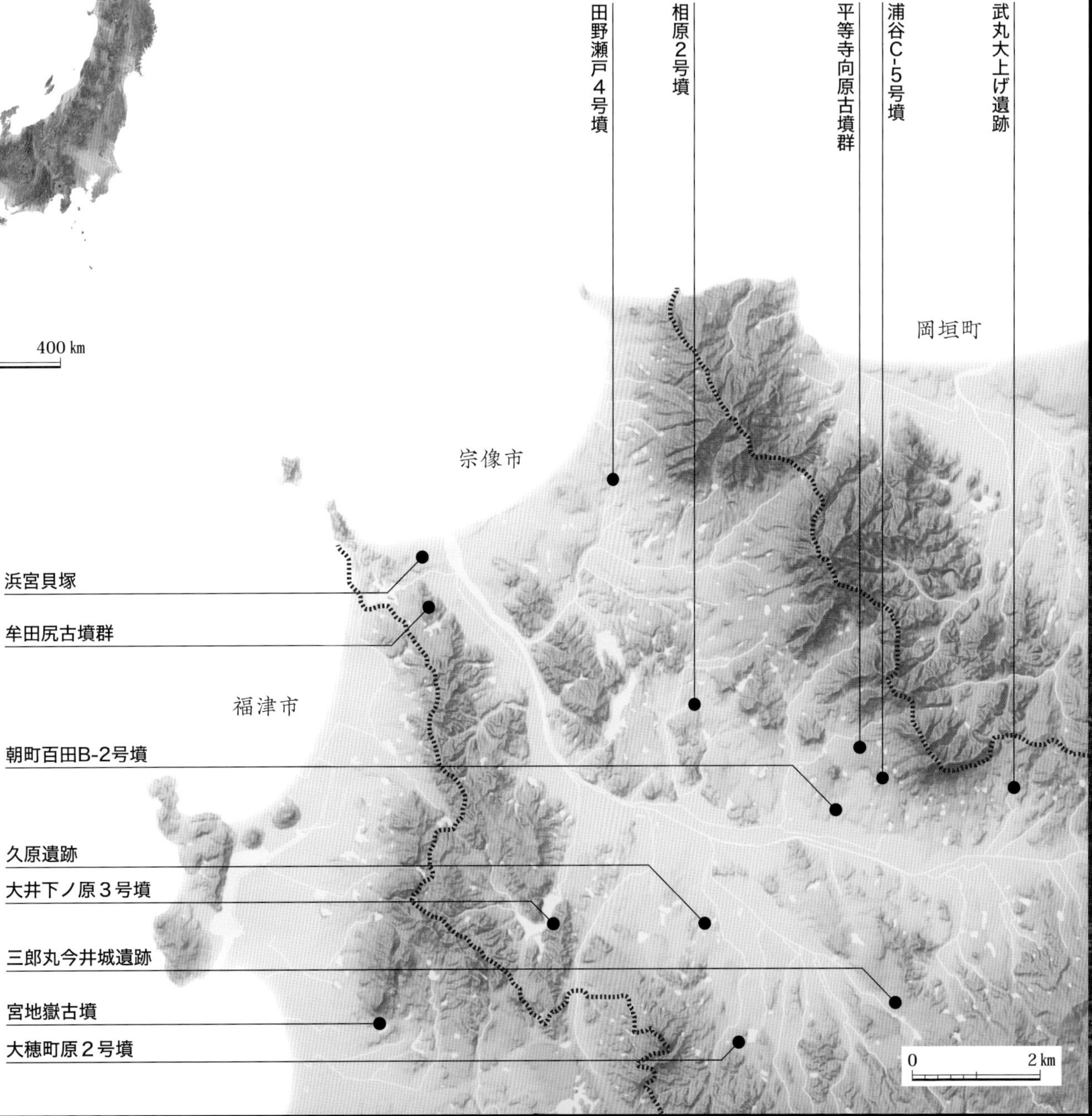

田野瀬戸４号墳
相原２号墳
平等寺向原古墳群
浦谷C-5号墳
武丸大上げ遺跡
岡垣町
宗像市
浜宮貝塚
牟田尻古墳群
福津市
朝町百田B-2号墳
久原遺跡
大井下ノ原３号墳
三郎丸今井城遺跡
宮地嶽古墳
大穂町原２号墳
0 2 km

地図は、webサイト「川だけ地形地図」(https://www.gridscapes.net/AllRiversAllLakesTopography/) を利用

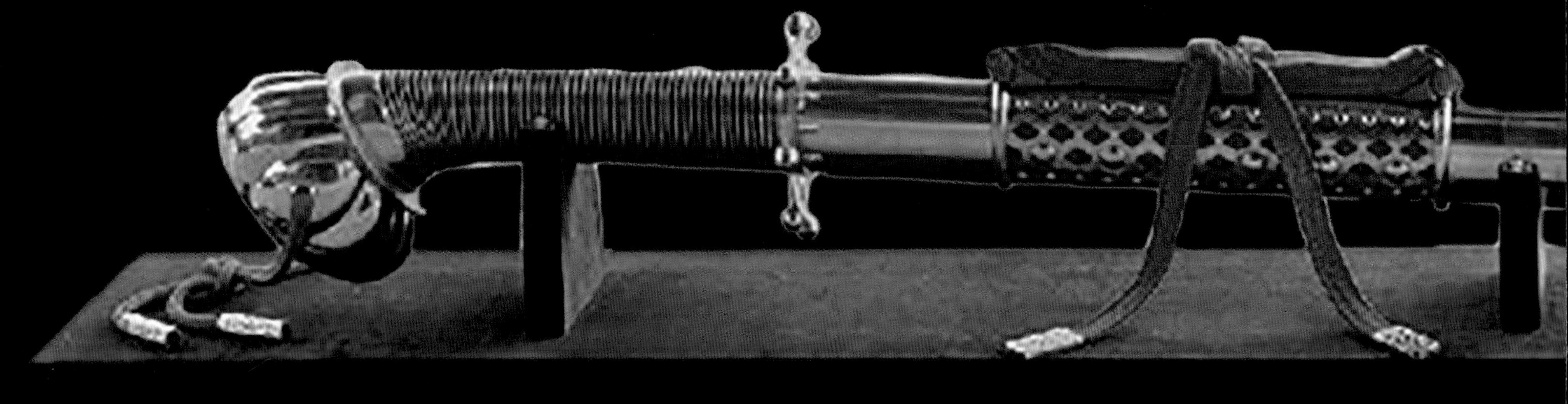

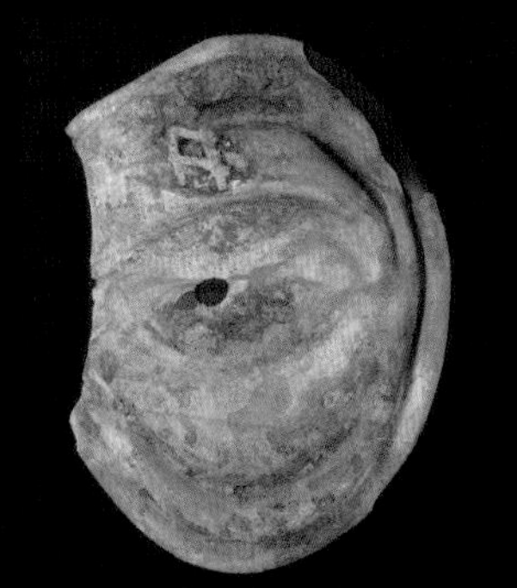

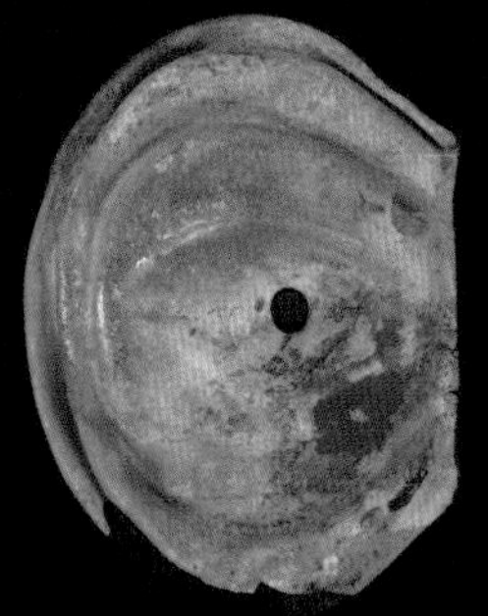

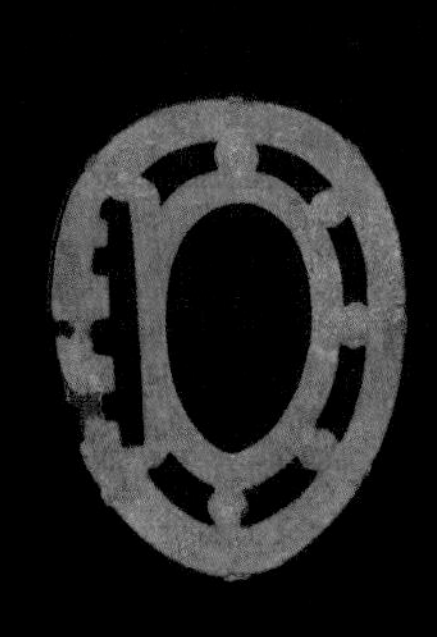

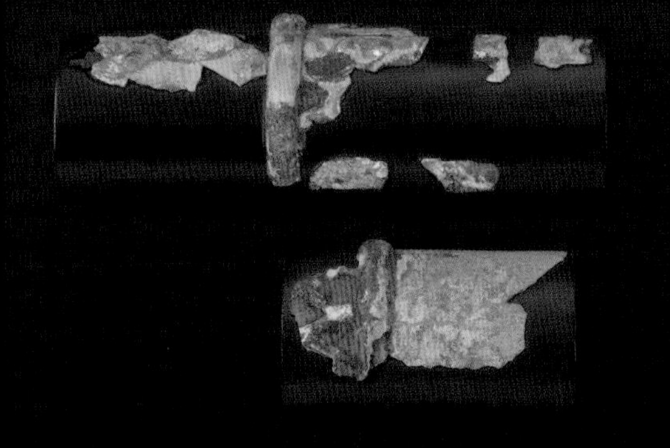

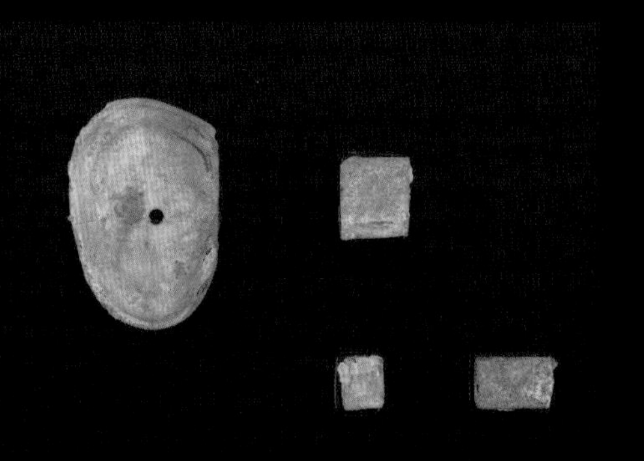

⑰ 国宝
頭椎大刀残欠［参考資料］
宮地嶽古墳（福岡県福津市）
古墳時代（６～７世紀）
所蔵　宮地嶽神社
写真　九州国立博物館（山﨑信一撮影）

古代東アジア最大級の刀剣

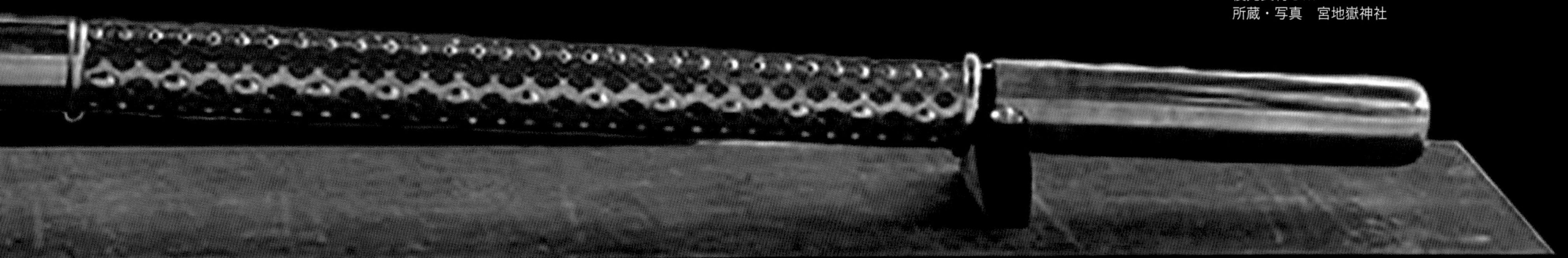

16 宮地嶽古墳の大型頭椎大刀［復元品］
現代
復元長約３m
所蔵・写真　宮地嶽神社

宮地嶽古墳から出土した大型頭椎大刀の復元全長はおよそ３mで、こんにち知られる古代東アジアの刀剣のなかで最大級を誇る。武力を行使する実用性はなく、まさに「装飾大刀」や「国宝」の名にふさわしい逸品だ。

鐔のまわりには、８個の鈴がついていたと考えられている。鐔や柄頭に鈴がともなう古墳時代の大刀は10例ほどしか知られていないが、その系譜は、三重県伊勢神宮の神宝・玉纏御太刀や和歌山県熊野速玉大社に伝わる国宝・鳥頸太刀にも引き継がれ、神性や聖性を帯びた格式のたかい刀剣となってゆく。

また、鐔には透かしと透かしの間を丸く仕あげることによって、仏教荘厳にみられる連珠円文（中国隋・唐系の要素）をあしらう。

連珠円文をあしらう金工品の多くは、６世紀末から７世紀前半頃の遺跡でしばしば出土する。中国大陸や朝鮮半島に直接の類例は見出せないものの、百済の造寺工や仏具工人の渡来（577年）、廃仏派・物部本総家の滅亡（587年）などをきっかけとして日本でつくられたとみてよいだろう。

現状で最古の頭椎大刀は奈良県布留遺跡で出土した木製品であり、６世紀前半に位置づけられている。布留遺跡は古代軍事氏族・物部氏の拠点であることから、頭椎大刀の生産や佩用の主体に物部氏をあてる意見は多い。

だがここで釈然としないのは、587年の蘇我物部戦争で崇仏派・蘇我氏が勝利し、廃仏派・物部本総家が滅亡したにもかかわらず、金銅装頭椎大刀出土古墳のほとんどは、６世紀末から７世紀初頭に位置づけられる点である。

たしかに、６世紀後半までの頭椎大刀は物部氏が作っていたかもしれない。だが、物部本宗家滅亡後には蘇我氏が倭王権の軍事を担ったことや、物部の家産は蘇我馬子の妻・太媛（物部守屋の妹）に接収されたことを鑑みれば、蘇我氏こそが、それまで物部氏が生産してきた倭の象徴ともいうべき大刀の外装に仏教系意匠を採用したと考えることもできる。とりもなおさず、玄界灘沿岸では、宮地嶽神社から南西に50㎞も離れた糸島半島周辺にしか物部の存在を示す資料が残っていない。

大型頭椎大刀をつくった人物や持ち主の名は、誰も覚えていない。だが、中華統一を図る隋・唐が成立する激動の時代にあって日本列島の最前線に立った有力豪族の栄華は、これまでも、そしてこれからも、永遠に輝きつづけるだろう。

黄泉国への旅

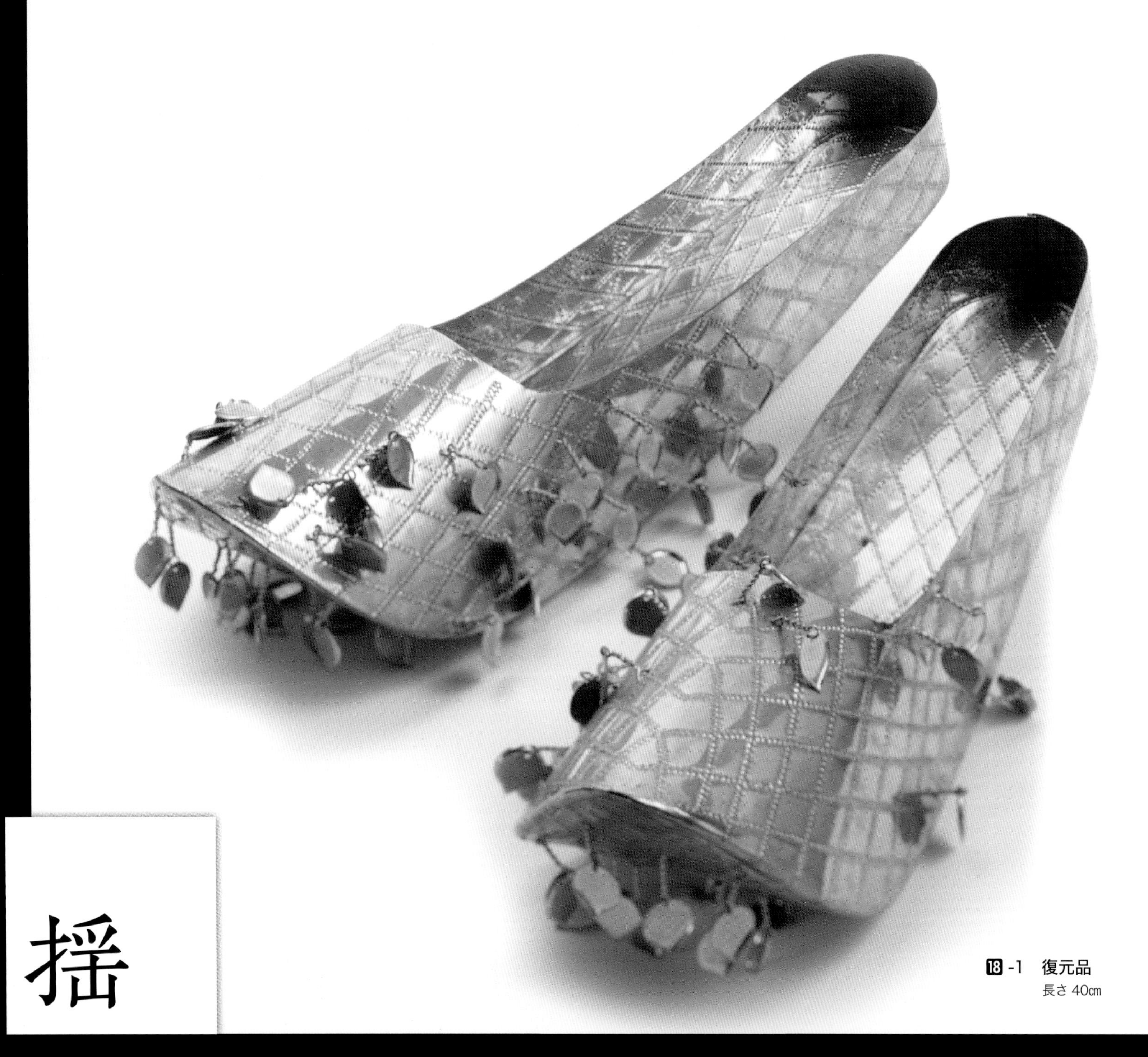

揺

⑱-1　復元品
長さ 40㎝

⑱　金銅製飾履（こんどうせいしょくり）
牟田尻中浦 A-03 号墳
福岡県宗像市
古墳時代（6世紀）
所蔵　宗像市教育委員会
写真　宗像市教育委員会
（⑱-1）

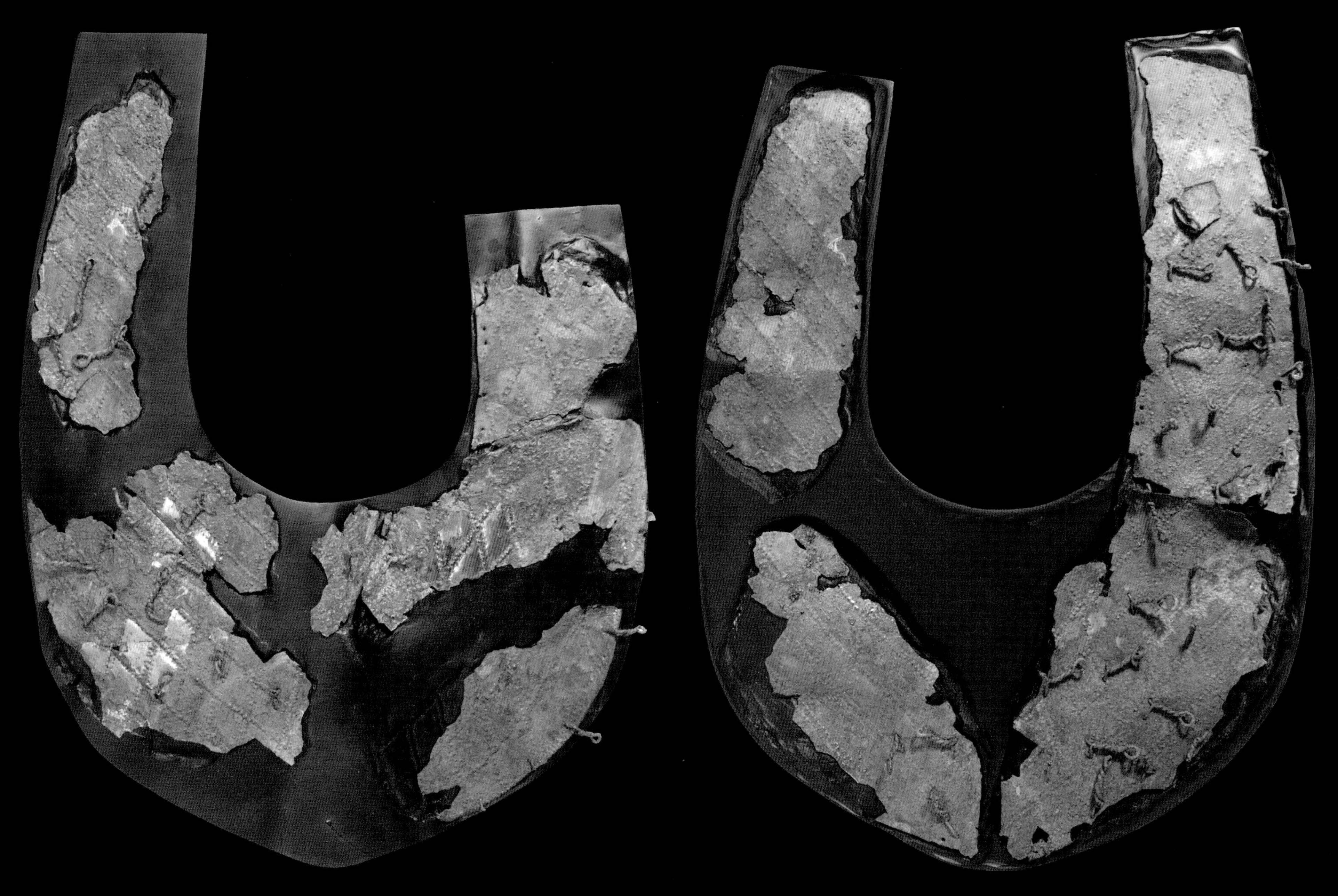

⑱-2　右足か

⑱-3　左足か

騎

神馬、駆ける

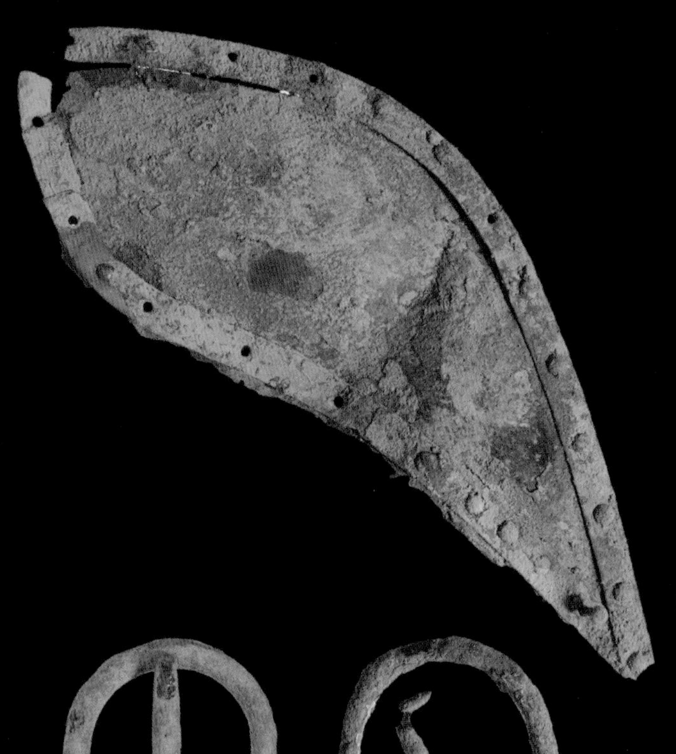

⑲-1 鞍金具（くらかなぐ）
（左前用）
幅 13㎝

⑲-3 鉸具（かこ）
左の高さ 4.7㎝
右の高さ 4.6㎝

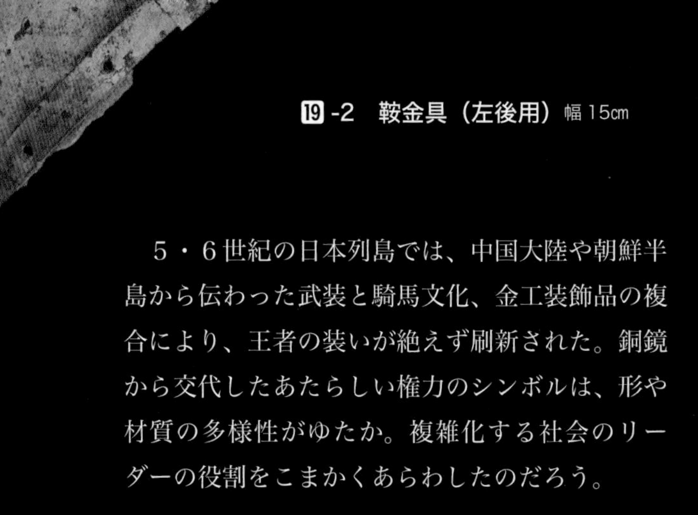

⑲-2 鞍金具（左後用）幅 15㎝

⑲-4 辻金具
幅 5.7㎝

５・６世紀の日本列島では、中国大陸や朝鮮半島から伝わった武装と騎馬文化、金工装飾品の複合により、王者の装いが絶えず刷新された。銅鏡から交代したあたらしい権力のシンボルは、形や材質の多様性がゆたか。複雑化する社会のリーダーの役割をこまかくあらわしたのだろう。

⑲ 金銅装馬具（こんどうそうばぐ）
牟田尻中浦 A-03 号墳（福岡県宗像市）
古墳時代（６世紀）
所蔵　宗像市教育委員会

⑳ 田野瀬戸（たのせと）4号墳出土品［含、参考資料］

福岡県宗像市
古墳時代（6世紀）
所蔵・写真　宗像市教育委員会

⑳-1　小札（こざね）

⑳-2　剣菱形杏葉（けんびしがたぎょうよう）
長さ26㎝

甲

鈴の音は――

鳴

㉑ 宗像出土の鈴
[含、参考資料]
福岡県宗像市
古墳時代
所蔵・写真　宗像市教育委員会

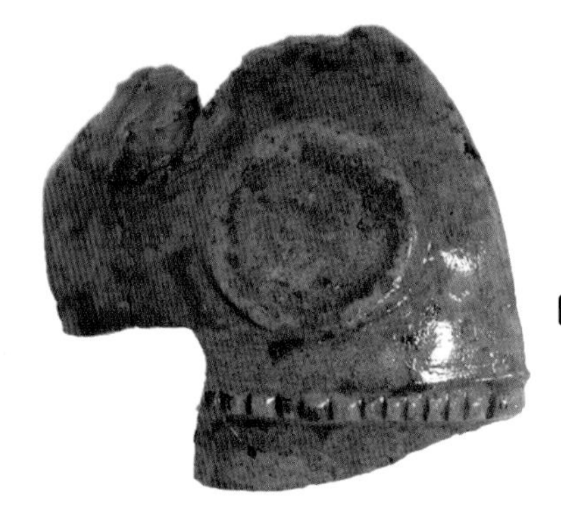

㉑-1　青銅鈴
浦谷 C-5 号墳
福岡県宗像市
古墳時代（5世紀）
高さ3㎝
所蔵　宗像市教育委員会

㉑-2　青銅鈴
平等寺向原Ⅱ -19 号墳
福岡県宗像市
古墳時代（6世紀）
高さ6.6㎝
所蔵・写真　宗像市教育委員会

22 須恵器 台付 𤭯
平等寺向原Ⅱ -11 号墳（福岡県宗像市）
古墳時代（６世紀）
高さ 17㎝
所蔵・写真　宗像市教育委員会

23 須恵器 台付子持 𤭯
大井下ノ原３号墳（福岡県宗像市）
古墳時代（６世紀）
高さ 26㎝
所蔵・写真　宗像市教育委員会

24 須恵器 台付短頸壺
平等寺向原Ⅱ - ７号墳（福岡県宗像市）
古墳時代（６世紀）
高さ 25㎝
所蔵・写真　宗像市教育委員会

❷❺ 須恵器 器台［含、参考資料］
朝町百田Ｂ -2 号墳（福岡県宗像市）/ 古墳時代（６世紀）
手前の高さ 37㎝
所蔵・写真　宗像市教育委員会

❷❻ 須恵器 器台
伝・浜宮貝塚（福岡県宗像市）/ 古墳時代（６世紀）
高さ 21㎝
所蔵・写真　宗像市教育委員会

❷❼ 新羅（しらぎ）土器
相原２号墳（福岡県宗像市）/ 飛鳥時代（７世紀）
高さ 12㎝
所蔵・写真　宗像市教育委員会

祈りの心は海を越えて

漁

海幸彦

『古事記』に記された海幸彦と山幸彦の物語

火が照り輝くときにうまれたホデリノミコト（火照命）は、海で漁をしていたので「海幸彦」と呼ばれた。火が弱まったときにうまれた弟のホノオリノミコト（火折尊）は、山で弓矢を使って狩りをしていたので「山幸彦」と呼ばれた。

ある日、弟は兄に「釣り竿と弓矢を交換してみよう」と提案した。そして、兄は山へ、弟は海へ出かけた。

しかし、それぞれの仕事に不慣れな二人は、ともに獲物をとることができなかった。そこで兄は弟に「やはり本来の道具と場所でないと何も得られないから、道具を返すことにしよう」といった。ところが、弟は魚がとれないばかりか、兄の大切な釣り針を海でなくしてしまっていた。それを聞いた兄は怒り、とにかく針を返せと責めた。そこで弟は、自分の剣をこわして500本の釣り針をつくり、それを兄のところへもっていって謝ろうとしたが、「なくした釣り針以外はいらない」といって許してくれなかった。さらに1000本つくっても「元の針でなければだめだ」といわれ、弟は困り果ててしまった。

山幸彦

28 釣針
大穂町原２号墳（福岡県宗像市）
古墳時代（６世紀）
大きい方の長さ　4.5㎝
所蔵・写真　宗像市教育委員会

共に生きる

玩

㉙ 動物形土製品
久原遺跡Ⅱ区３号墳
福岡県宗像市
古墳時代（６世紀）
所蔵・写真　宗像市教育委員会

30 瓦［含、参考資料］
武丸大上げ遺跡（福岡県宗像市）
奈良・平安時代（８世紀～９世紀）
所蔵・写真　宗像市教育委員会

鬼瓦 縦 35㎝

旅路の先には――

威

知は力なり

識

㉛ 律令官人の復元模型
所蔵　宗像市教育委員会

由
加
主
□

㉜-1 刻書土器（こくしょどき） 縦 12㎝

㉜-2 円面硯（えんめんけん）
復原径 20㎝

㉜ 三郎丸今井城遺跡出土品
福岡県宗像市
奈良時代（８世紀）
所蔵・写真　宗像市教育委員会

㉜-3 皇朝十二銭

中国唐・五代十国時代の開元通寶（618 年～ 10 世紀前半頃）を手本として、奈良時代から平安時代前期の日本（708 年～ 10 世紀後半頃）で発行された 12 種類の銭貨。このうち 1 番目の和同開珎が、日本で流通したことがはっきりしている最古のコインだ。

皇朝銭は北海道から九州までの各地で出土しており、律令時代の経済や流通を知るための基本的な考古資料である。さらには、海の祭祀がおこなわれた福岡県沖ノ島や岡山県大飛島、大宰府にほどちかい福岡県宝満山などでその奉献がみられるように、重要な祭祀品目の一つでもあった。

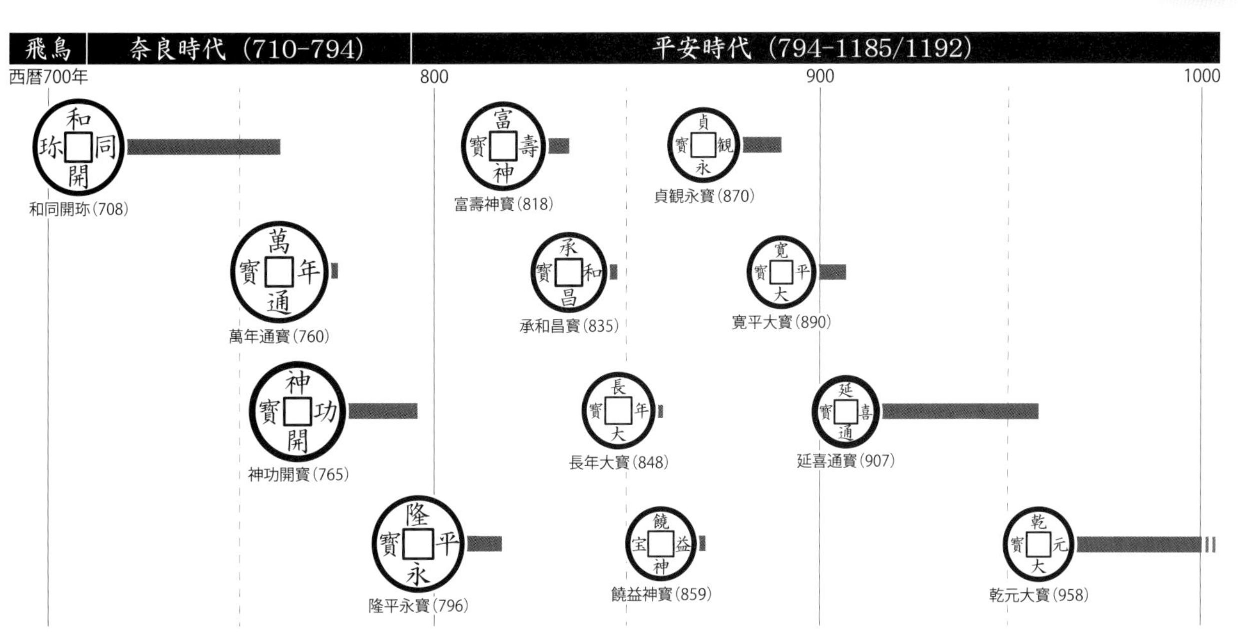

皇朝十二銭のうつりかわり

まだ見ぬ地平をめざして

33 **古代船の復元模型**
所蔵・写真　宗像市教育委員会

古墳時代には、芯をくり抜いた丸太に板を組みあわせた「準構造船」という船があったと考えられている。現代の機械化された船とくらべると心もとない気もするが、インターネットも飛行機もない時代にあっては、東アジアの情報を手に入れるための、ただ一つの手段だった。

近年では、海底に沈んだ船や遺跡の研究もすすみ、日本列島と東アジア諸国をむすぶ海上交通や貿易の実態を考えるうえで、避けてとおれない資料を提供している。海上交通網の掌握もまた、拠点的な地域がもつちいさくない役割の一つであったことだろう。

東アジア交流の最前線である北部九州、そして出雲の実像を追い求める旅路は、果てしなくつづく。

航

八神郡の位置

国名	郡名	神社名｛（　）内は現在の神社名｝	神郡の現在の比定地
常陸（ひたち）	鹿嶋（かしま）	鹿嶋神宮（鹿島神宮）	茨城県鹿嶋市
下総（しもふさ）	香取（かとり）	香取神宮（香取神宮）	千葉県香取市
安房（あわ）	安房（あわ）	安房坐神社（安房神社）	千葉県館山市
伊勢（いせ）	渡会（わたらい）	太神宮・渡会宮（伊勢神宮）	三重県伊勢市
伊勢（いせ）	多気（たき）	太神宮・渡会宮（伊勢神宮）	三重県伊勢市
紀伊（きい）	名草（なくさ）	日前神社・国懸神社（日前神宮・國懸神宮）	和歌山県和歌山市
出雲（いずも）	意宇（おう）	熊野坐神社（熊野大社）	島根県松江市・安来市
筑前（ちくぜん）	宗像（むなかた）	宗像神社（宗像大社）	福岡県宗像市・福津市

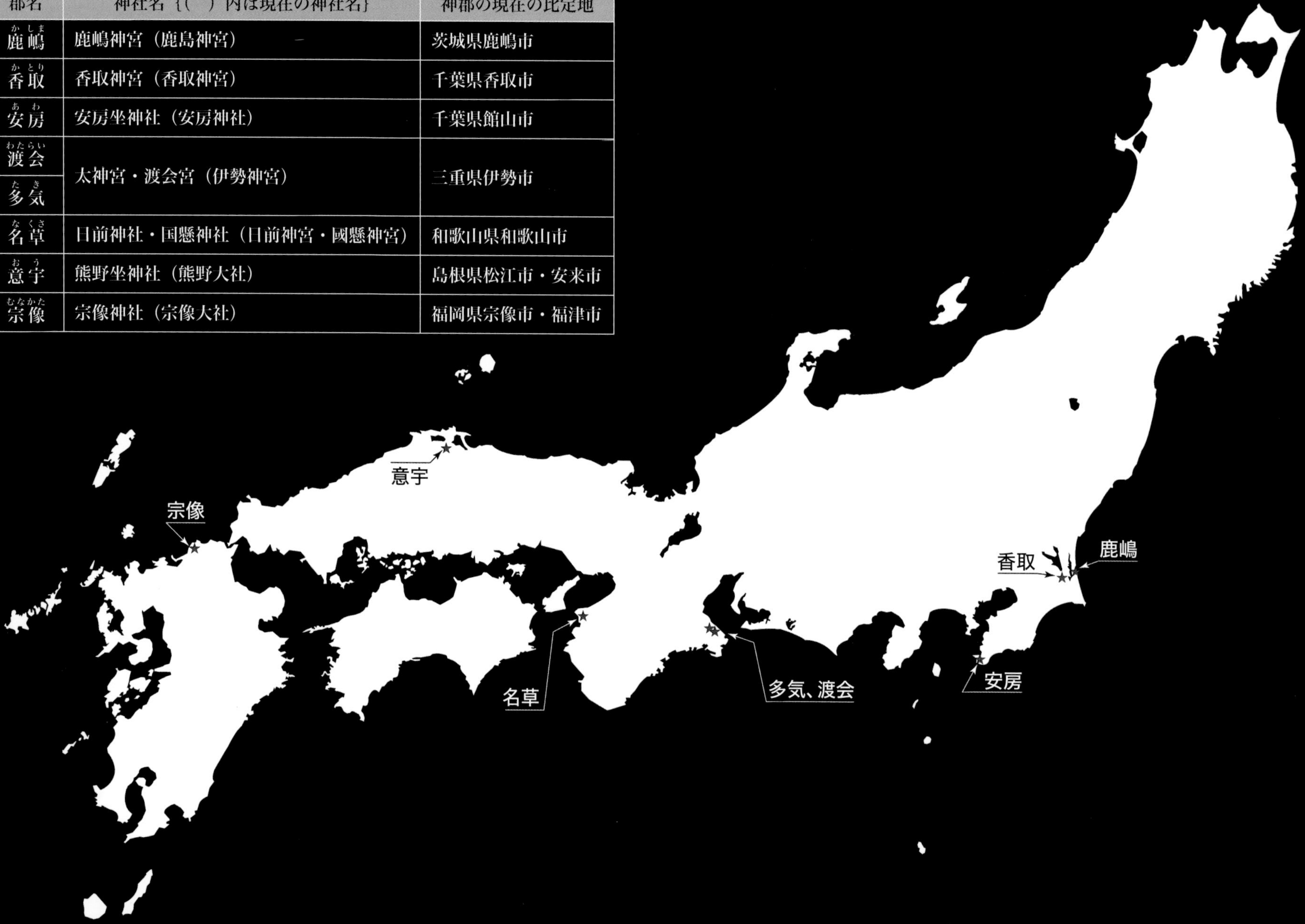

出品目録

意宇

資料名	遺跡	点数	所蔵	指定
頭椎大刀柄	前田遺跡	1	松江市	市指定文化財
刀形木製品	前田遺跡	1	松江市	市指定文化財
朱塗木製品	前田遺跡	1	松江市	市指定文化財
須恵器 子持䳄	前田遺跡・増福寺 20 号墳	1	松江市	市指定文化財
須恵器 甕	前田遺跡	1	松江市	市指定文化財
ヤリガンナ	前田遺跡	1	松江市	市指定文化財
切子玉	前田遺跡	1	松江市	市指定文化財
勾玉	前田遺跡	2	松江市	市指定文化財
滑石製臼玉	前田遺跡	一式	松江市	市指定文化財
額田部銘銀象嵌円頭大刀	岡田山 1 号墳	1	六所神社	重要文化財
馬鈴	岡田山 1 号墳	6	六所神社	重要文化財
頭椎大刀	石州府 1 号墳	1	米子市埋蔵文化財センター	―
鬼瓦	北新造院跡（来美廃寺）	1	島根県教育委員会	―
多口瓶	北新造院跡（来美廃寺）	1	島根県教育委員会	―
螺髪	北新造院跡（来美廃寺）	1	島根県教育委員会	―
螺髪	南新造院跡（四王寺跡）	1	島根県教育委員会	―
墨書土器「意宇」	出雲国府跡	1	島根県埋蔵文化財調査センター	―
和同開珎	出雲国府跡	1	島根県埋蔵文化財調査センター	―
石銙（巡方）	出雲国府跡	1	島根県埋蔵文化財調査センター	―
銅印「常」	出雲国府跡	1	個人	―
銅印「春」	出雲国府跡	1	個人	―
小札	出雲国府跡	一式	島根県埋蔵文化財調査センター	―
坩堝	出雲国府跡	1	島根県埋蔵文化財調査センター	―
鞴羽口	出雲国府跡	5	島根県埋蔵文化財調査センター	―
軒丸瓦	出雲国分寺跡	1	松江市	―
軒平瓦	出雲国分寺跡	1	松江市	―
土馬	出雲国分寺跡	2	松江市	―
蔵骨器	社日古墳（南斜面）	1	島根県埋蔵文化財調査センター	―
八稜鏡	社日古墳（南斜面）	1	島根県埋蔵文化財調査センター	―
八稜鏡	島田池遺跡（5 区 SK02）	1	島根県埋蔵文化財調査センター	―
八稜鏡	勝負遺跡（木棺墓 SK06）	1	島根県埋蔵文化財調査センター	―
鐔	禅定寺遺跡	1	松江市	―
石銙（丸鞆）	禅定寺遺跡	1	松江市	―
土師器杯	禅定寺遺跡	2	松江市	―
緑釉陶器	禅定寺遺跡	2	松江市	―

宗像

資料名	遺跡	点数	所蔵	指定
大型頭椎大刀（復元品）	宮地嶽古墳	1	宮地嶽神社	原品：国宝
金銅製飾履（復元品）	牟田尻中浦 A-03 号墳	一足	宗像市教育委員会	―
金銅製飾履	牟田尻中浦 A-03 号墳	一足	宗像市教育委員会	―
金銅装馬具 鞍金具	牟田尻中浦 A-03 号墳	2	宗像市教育委員会	―
金銅装馬具 鉸具	牟田尻中浦 A-03 号墳	2	宗像市教育委員会	―
金銅装馬具 雲珠	牟田尻中浦 A-03 号墳	1	宗像市教育委員会	―
金銅装馬具 辻金具	牟田尻中浦 A-03 号墳	1	宗像市教育委員会	―
辻金具	平等寺向原 II -19 号墳	1	宗像市教育委員会	―
小札	田野瀬戸 4 号墳	一式	宗像市教育委員会	―
剣菱形杏葉	田野瀬戸 4 号墳	1	宗像市教育委員会	―
青銅鈴	浦谷 C-5 号墳	1	宗像市教育委員会	―
青銅鈴	平等寺向原 II -19 号墳	1	宗像市教育委員会	―
青銅鈴	牟田尻桜京 A-08 号墳	1	宗像市教育委員会	―
須恵器 台付䳄	平等寺向原 II -11 号墳	1	宗像市教育委員会	―
須恵器 台付子持䳄	大井下ノ原 3 号墳	1	宗像市教育委員会	―
須恵器 台付短頸壺	平等寺向原 II - 7 号墳	1	宗像市教育委員会	―
須恵器 器台	朝町百田 B-2 号墳	1	宗像市教育委員会	―
須恵器 器台	伝・浜宮貝塚	1	宗像市教育委員会	―
新羅土器	相原 2 号墳	1	宗像市教育委員会	―
釣針	大穂町原 2 号墳	2	宗像市教育委員会	―
動物形土製品	久原遺跡 II 区 3 号墳	6	宗像市教育委員会	―
鬼瓦	武丸大上げ遺跡	1	宗像市教育委員会	―
軒丸瓦	武丸大上げ遺跡	1	宗像市教育委員会	―
軒平瓦	武丸大上げ遺跡	1	宗像市教育委員会	―
刻書土器	三郎丸今井城遺跡	1	宗像市教育委員会	―
円面硯	三郎丸今井城遺跡	1	宗像市教育委員会	―
皇朝十二銭	三郎丸今井城遺跡	一式	宗像市教育委員会	―
装飾大刀佩用者の復元模型		1	宗像市教育委員会	―
律令官人の復元模型		1	宗像市教育委員会	―
古代船の復元模型		1	宗像市教育委員会	―

本図録の写真掲載順と、展示の順序はかならずしも一致しない。

本図録には写真を掲載していない資料もある。

主要参考文献

諫早直人　2015「飛鳥寺塔心礎出土馬具」『奈良文化財研究所紀要 2015』奈良文化財研究所
諫早直人　2017「飛鳥寺の発掘と塔心礎埋納品 ― 飛鳥寺発掘 60 年 ―」『飛鳥・藤原京を読み解く　古代国家誕生の軌跡』奈良文化財研究所
伊都国歴史博物館　2008『平成 20 年度秋季特別展　玄界灘を制したもの ― 伊都国王と宗像君 ―』
内川隆志　2014「鏡と信仰 ― 倭鏡の成立と展開 ―」印旛郡市文化財センター第 18 回遺跡発表会講演資料
海の道むなかた館　2015『平成 27 年度秋の特別展　鈴の文化史　ムナカタの考古学 5』
海の道むなかた館　2022『令和 3 年度海の道むなかた館特別展　海人王国宗像 ― 古墳時代の交流と繁栄 ―』
大野城心のふるさと館　2022『大野城市市制 50 周年記念特別展　よみがえる黄金の宝　国宝 宮地嶽古墳出土宝物の世界』
小倉慈司　2013「律令制成立期の神社政策 ― 神郡（評）を中心に ―」『古代文化』第 65 巻第 3 号　古代学協会
鹿島市文化スポーツ振興事業団　2022『歴史講演会第 30 回記念シンポジウム「飛鳥時代の鹿島 ― 中臣鎌足と鹿島神宮、鹿島郡 ―」資料集』
川畑勝久　2022『古代祭祀の伝承と基盤』塙書房
久保智康　2022「金属工芸からみた「唐物」」『「唐物」とは何か ― 舶載品をめぐる文化形成と交流 ―』アジア遊学 275　勉誠出版
小嶋　篤　2012「墓制と領域 ― 胸肩君一族の足跡 ―」『九州歴史資料館研究論集』37　九州歴史資料館
近藤　正　1968「銅印」『島根県文化財調査報告書』第 5 集
斎宮歴史博物館　2023『伊勢と出雲の神・仏 ～ 古代の宗教世界を読み解く ～』
齊藤大輔　2023「武装具出土古墳からみた東西出雲の特質とその背景」『島根考古学会誌』40　島根考古学会
酒井芳司　2022「「神郡宗像」の成立と変遷」新修宗像市史編集委員会編『新修　宗像市史　いくさと人びと』宗像市
笹生　衛　2012『日本古代の祭祀考古学』吉川弘文館
笹生　衛　2013「古代祭祀の形成と系譜 ― 古墳時代から律令時代の祭具と祭式 ―」『古代文化』第 65 巻第 3 号　古代学協会
島根県教育委員会　1987『出雲岡田山古墳』
島根県教育委員会　1988『風土記の丘地内遺跡発掘調査報告 V ― 島根県松江市山代町所在・四王寺跡 ―』
島根県教育委員会　1997『島田池遺跡・鶴貫遺跡』一般国道 9 号松江道路建設予定地内埋蔵文化財発掘調査報告書西地区 8
島根県教育委員会　1998『勝負遺跡・堂床古墳』一般国道 9 号松江道路建設予定地内埋蔵文化財発掘調査報告書西地区 10
島根県教育委員会　2000『社日古墳』一般国道 9 号松江道路建設予定地内埋蔵文化財発掘調査報告書 12
島根県教育委員会　2002『来美廃寺』風土記の丘地内遺跡発掘調査報告書 13
島根県教育委員会　2008『史跡出雲国府跡 5』風土記の丘地内遺跡発掘調査報告書 18
島根県教育委員会　2013『史跡出雲国府跡 9　総括編』風土記の丘地内遺跡発掘調査報告書 22
島根県教育委員会　2023『史跡出雲国府跡 11』風土記の丘地内遺跡発掘調査報告書 27
島根県立古代出雲歴史博物館　2015『百八十神坐す出雲　古代社会を支えた神祭り』
島根県立古代出雲歴史博物館　2022『出雲と都を結ぶ道 ― 古代山陰道 ―』
島根県立八雲立つ風土記の丘資料館　1991『'91 特別展　古代の出雲と九州 ～ 海流に乗って、山脈を越えて ～』
田中　裕　2022「古代の鈴と鈴飾りの歴史的意義」『金鈴塚古墳と古墳時代社会の終焉』六一書房
塚本敏夫　2022「儀仗としての武器・武具 ― 古代・中世における武具祭祀の展開 ―」『古代武器研究』vol.17　古代武器研究会
仁藤敦史　2022『東アジアからみた「大化改新」』歴史文化ライブラリー 555　吉川弘文館
穂積裕昌　2012「伊勢神宮成立に関する考古学的評価」『古代学研究』194　古代学研究会
穂積裕昌　2013『伊勢神宮の考古学』雄山閣
松江市教育委員会　2004『出雲国分寺跡発掘調査報告書』松江市文化財調査報告書第 96 集
松江市教育委員会　2006『禅定寺遺跡』松江市文化財調査報告書第 109 集
松江市教育委員会・松江市スポーツ振興財団　2015『史跡出雲国分寺跡発掘調査報告書 ― 総括編 ―』松江市文化財調査報告書第 166 集
松尾充晶　2023「古代出雲の宗教世界」『伊勢と出雲の神・仏

～ 古代の宗教世界を読み解く ～』斎宮歴史博物館
三重県埋蔵文化財センター・斎宮歴史博物館　2015『神郡の考古学Ⅱ ～ 飯野郡の考古学 ～』
宗像考古学研究会　2017『宗像地域の古墳』
宗像市教育委員会　1982『浦谷古墳群Ⅰ』宗像市文化財調査報告書第5集
宗像市教育委員会　1984『宗像　埋蔵文化財発掘調査概報 ― 1983年度 ―』宗像市文化財調査報告書第7集
宗像市教育委員会　1992『平等寺向原Ⅰ』宗像市文化財調査報告書第37集
宗像市教育委員会　2007『田野瀬戸古墳』宗像市文化財調査報告書第59集
宗像市教育委員会　2018『大井下ノ原』宗像市文化財調査報告書第75集
宗像市教育委員会　2022『沖ノ島祭祀を担った奉斎者たち』
宗像市史編纂委員会　1997『宗像市史　通史編　第1巻　自然　考古』宗像市
宗像町教育委員会　1979『相原古墳群』宗像町文化財調査報告書第1集
桃﨑祐輔　2019「額田部の馬具と鈴 ― 心葉形十字文透鏡板付轡と虎頭鈴・多角形鈴をめぐって ―」『国家形成期の首長権と地域社会構造』島根県古代文化センター研究論集第22集　島根県古代文化センター
八雲村教育委員会　2001『前田遺跡（第Ⅱ調査区）』八雲村文化財調査報告19
米子市教育委員会・石州府古墳群発掘調査団　1989『石州府古墳群発掘調査報告書』

協力者一覧

本特別展の開催にあたっては、つぎに掲げる皆さまのお力添えを賜りました。
個人蔵資料にかかわる方のお名前は伏せておりますが、識者諸賢のご海容を乞うとともに、お世話になったすべての皆さまに心よりお礼申しあげます。

協力機関

海の道むなかた館
九州国立博物館
島根県古代文化センター
島根県埋蔵文化財調査センター
島根県立古代出雲歴史博物館
松江市
宮地嶽神社
宗像市教育委員会
米子市埋蔵文化財センター

協力者

綾部恵子　諫早直人　今井涼子　植木貴房　太田　智
尾方聖多　勝部智明　川畑勝久　下高瑞哉　高橋浩樹
豊崎晃史　早川和子　前田詞子　真木大空　吉松優希

［敬称略、五十音順］

令和５年度　秋季特別展

神郡 ― 意宇と宗像 ―

発行年月日　令和５年（2023）９月16日

編集・発行　島根県立八雲立つ風土記の丘
指定管理者：公益財団法人しまね文化振興財団
〒690-0033　島根県松江市大庭町456
TEL（0852）23-2485　FAX（0852）23-2429

印刷・製本　株式会社 谷口印刷
〒690-0133　島根県松江市東長江町902-59
TEL（0852）36-5888　FAX（0852）36-5889